de kat met laarzen

Annemarie Bon
Tekeningen van Marijke van Veldhoven

BIBLIOTHEE<BREDA
Wijkbibliotheek Zuidoost
Allerheiligenweg 19
tel. 076 - 5657675

D0269268

Zwijsen

een kat voor hans

er was eens een bakker.
hij had drie zoons:
toon, jaap en hans.
de bakker had ook een paard.
en o ja, daar was nog een kat.
de zoons bakten brood.
het paard trok de kar.
en de kat ving muizen.
op een dag ging de bakker dood.
toon kreeg het huis.
jaap kreeg het paard.
hans kreeg de kat.
hans was daar niet zo blij mee.
hij had liever het huis.
het paard zou ook goed zijn.
maar wat had hij nou aan een kat?
zijn vacht was hooguit goed voor een muts.
'hoor eens, hans,' zei de kat.

'maak me niet dood voor een muts.
koop maar een paar laarzen voor me.
dan zul je nog eens wat zien.'

hans keek vreemd op.
die kat sprak met hem!
hoe kon dat nou?
'vooruit,' zei hans.
'ik geef je je zin.'
en hans kocht een paar laarzen.
de kat trok ze aan.
'die laarsjes staan je goed,'
zei hans.
'hier heb je ook een hoedje.
en wat vind je van dit jasje?
het was van een pop.
maar het past jou goed.'
de kat trok de jas aan.

hij liep naar de schuur.
daar nam hij een zak met graan.
de kat wierp de zak op zijn rug.
en liep als een mens weg.

haas voor de vorst

hans woonde in een groot land.
de baas van het land was de vorst.
die hield wel van een lekker hapje.
vooral van haas smulde de vorst.
in het bos was volop haas.
maar geen mens kon haas vangen.
de kat was slim.
met de zak ging hij het bos in.
de zak zat vol met graan.
hij deed de knoop van de zak los.
ook maakte hij een wijd gat.
de kat hield zich schuil in een struik.
al snel kwam er een haas.
en nog een en nog een.
wel tien gingen er in de zak.
daar was lekker graan!
maar toen sloot de kat de zak.
hij liep met de zak naar het kasteel.

'stop!' zei de wacht.
'waar wil je heen, kat?'
'naar de vorst,' zei de kat.
'ben je gek?' riep de wacht.
'dat gaat niet!'

maar er was nog een wacht.
die had er lol om.
'wie weet houdt de vorst van een grap.
die kat is wel leuk,' zei hij.
voor de grap lieten ze de kat doorgaan.

de kat boog diep voor de vorst.

'heer vorst,' zei de kat.

'dit is haas voor u.

u krijgt het van mijn meester.

dat is de markies.'

wat was de vorst blij!

dat zag er lekker uit.

hij nam de zak van de kat.

en deed hem vol met gouden munten.

'geef die maar aan de markies!'

hans zat sip voor het raam.
hij had geen geld meer.
juist toen kwam de kat eraan.
hij hield de zak op zijn kop.
en rinkel-de-kinkel.
daar lag een berg goud.
'van de vorst,' zei de kat.
'nu ben je rijk!
maar er komt nog veel meer!'
dag na dag trok de kat het bos in.
steeds kwam hij naar huis met goud.
de vorst was dol op de kat.
die kon gaan en staan waar hij wou.
geen wacht zei stop.
wat was hans blij met de kat!
wie had dat nu kunnen denken?
die kat was meer waard dan het huis!
die kat was meer waard dan het paard!

een muis voor de kat

op een dag ging de vorst op stap.
hij ging met de prinses uit rijden.
hij zou langs het meer gaan.
de kat wist dat.
'ga snel naar het meer,' zei de kat.
'trek je hemd uit.
doe je broek uit.
en duik in het meer.'
de kat ging op de weg staan.
daar kwam de koets aan.
'help, help,' riep de kat.
'de markies gaat dood.
hij zwemt in het meer.
maar een dief heeft zijn broek.
de markies durft het water niet uit.
help, help.'
de vorst hield de koets stil.
al snel kwam een dienaar met een broek.

14

hans kreeg ook een jas en laarzen.
wat zag hij er mooi uit.
nog mooier dan in het meer.
dat vond de prinses ook.
de kat ging snel door.
hij kwam langs een wei met heel veel
mensen.
'van wie is die wei?' vroeg de kat.
'van de reus!' riepen de mensen.
'en de reus is een zwarte meester.'
'hoor,' zei de kat.
'de vorst komt zo langs.
zeg dan niet "van de reus".
maar zeg: "van de markies".
anders maak ik jullie dood.'
zo deed de kat ook bij een veld met graan.
en bij een bos.
de mensen werden bang van de kat.
want een kat met laarzen was maar eng.
'we doen wat je zegt, kat,' zeiden ze.

17

nu ging de kat snel naar de reus.
hij ging het kasteel in en vroeg:
'bent u een zwarte meester?
kunt u echt een dier worden?
een hond of een vos of een wolf?'
'ja,' zei de reus.
'dat is geen kunst.'
en daar stond eerst een hond.
daarna een vos.
en toen een wolf.
'lukt een beer ook?' vroeg de kat.
en ja, hoor.
daar was de beer al.

'wat een kunst,' zei de kat.
'maar een leeuw dat is pas knap.'
'nee, hoor,' zei de reus.
'let maar eens op.'
en ja, hoor.
daar was de leeuw al.
wat zag die er woest uit!
de kat deed of hij schrok.
hij riep: 'aaaahhh!'
toen vroeg de kat:
'en lukt een klein dier ook?
een muisje misschien?'
'dat is een makkie,' zei de reus.
en hup, daar was het muisje al.
in één tel greep de kat de muis.
en in één hap vrat hij de muis op.
met huid en haar.

een prinses voor hans

al die tijd reed de vorst in de koets.
hans zat naast de prinses.
hij leek net een markies.
de koets ging langs de wei.
de vorst vroeg aan de mensen:
'van wie is die grote wei?'
'die is van de markies,' riepen ze.
'en van wie is dit veld graan?'
vroeg de vorst een eindje verder.
'dat is van de markies,'
riepen de mensen.
na weer een stuk vroeg de vorst:
'en van wie is dit bos?'
'dat is van de markies,'
riepen de mensen.
'zo, zo,' zei de vorst.
'u bent erg rijk, markies.
mijn eigen bos is niet eens zo groot.'

toen hield de koets stil.
bij het slot van de reus.
daar kwam de kat al aan.
'welkom in het huis van de markies,'
sprak de kat.
'komt u binnen.'
de vorst was onder de indruk.
wat was dat slot mooi en groot!
hans keek trots.
hij deed alsof hij de markies was.
in de zaal stond een rijke maaltijd klaar.
er was haas en pastei.
er was soep en brood.
er was wijn en bier.
en toe was er fruit en ijs.
'wees mijn gast,' zei hans.
'en tast toe.'

en na een week trouwde hans met de
prinses!
de kat bleef altijd bij hem.
hij gaf nog vaak raad.
maar soms ving hij muizen.
zomaar, voor de lol.

Zonnetjes bij kern 5 van Veilig leren lezen

1. de kat met laarzen
Annemarie Bon en Marijke van Veldhoven

2. een veer voor een verhaal
Wouter Kersbergen en Jan van Lierde

3. prinses fien
Frank Smulders en Hugo van Look